Text copyright © 1999 by Joy Cowley.
Photographs copyright © 1999 by Nic Bishop.
First edition, March 1999.

Book Design by David Caplan

ISBN 978-0-439-86435-0

First Arabic Edition, 2006. Printed in China.

1 2 3 4 5 6 7 8 9 10 62 11 10 09 08 07

هُناكَ مِمَصّاتٌ في أَصابِع ضِفْدَعَة الأَشْجار، تُساعِدُها عَلى تَسَلُّقِ الأَوْراقِ وَالتَّشَبُّثِ بِها. وَضِفْدَعَةُ الأَشْجار ذاتُ الْعَيْنَيْنِ الْحَمْراوَيْنِ، لَها أَيْضًا عَيْنانِ كَبيرَتانِ تُساعِدانِها عَلى الرُّؤْيَةِ في الظَّلامِ، وَالْبَحْثِ عَنِ الطَّعامِ. فَهِيَ تُحِبُّ أَكْلَ الْحَشَراتِ، لكِنْ عَلَيْها أَنْ تَكونَ حَذِرَةً جِدًّا. فَبَعْضُ الْحَشَراتِ، في الْغاباتِ الْمَطيرَةِ، بِإِمْكانِهِ أَنْ يُدافِعَ عَنْ نَفْسِهِ في مُواجَهَةِ الْحَيَواناتِ الْجائِعَةِ، مِثلِ الضَّفادِعِ. النَّمْلُ يُمْكِنُ أَنْ يَعَضَّ. لِذلِكَ، مِنَ الأَفْضَلِ أَنْ يُتْرَكَ وَحْدَهُ. الْجَنادِبُ الأَمْريكِيَّةُ كَبيرَةٌ في الْغالِبِ، وَلَها أَشْواكٌ. وَلِذلِكَ، فَهِيَ صَعْبَةُ الِابْتِلاعِ. وَبَعْضُ الْيَرَقاناتِ يُدافِعُ عَنْ نَفْسِهِ بِوَساطَةِ سُمومِهِ. لِذلِكَ، لا يَبْقى سِوى الْفَراشاتِ، وَالْحَشَراتِ، وَالْعَناكِبِ، وَالْجَنادِبِ الصَّغيرَةِ طَعامًا مُفَضَّلاً لِضَفادِعِ الأَشْجار.

وَبِالطَّبْعِ، عَلى ضِفْدَعَةِ الأَشْجارِ ذاتِ الْعَيْنَيْنِ الْحَمْراوَيْنِ أَنْ تَحْذَرَ مِنْ أَنْ تَكونَ غِذاءً لِبَعْضِ الْحَيَواناتِ الأُخْرى. فَالْوَطْواطُ الْجائِعُ يُمْكِنُ أَنْ يَنْقَضَّ عَلَيْها، وَيَخْتَطِفَها مِنْ مَكانِها. أَوْ يُمْكِنُ أَفْعى صَغيرَةً مِنْ أَفاعي الْبُواءِ أَنْ تَجْعَلَها وَجْبَةً خَفيفَةً لَها. إِنَّ لَوْنَ ضِفْدَعَةِ الأَشْجارِ الأَخْضَرِ يُساعِدُها عَلى الِانْدِماجِ في بيئَتِها، وَيَجْعَلُ الْعُثورَ عَلَيْها صَعْبًا. وَيُصْبِحُ لَوْنُ ضِفْدَعَةِ الأَشْجارِ داكِنًا، عِنْدَما تَشْعُرُ بِالْخَطَرِ.

قَبْلَ أَنْ يَعودَ ضَوْءُ الصَّباحِ، تَكونُ ضِفْدَعَةُ الأَشْجارِ ذاتُ الْعَيْنَيْنِ الْحَمْراوَيْنِ قَدْ وَجَدَتْ مَكانًا لِتَخْتَفِيَ فيهِ، بَيْنَ أَوْراقِ الأَشْجارِ، حَيْثُ تَثْني أَصابِعَها تَحْتَ ذَقْنِها وَبَطْنِها، وَتَبْسُطُ جِسْمَها عَلى الْوَرَقَةِ. وَعِنْدَما تُغْمِضُ عَيْنَيْها لِتَنامَ، لا يَبْقى ظاهِرًا مِنْها سِوى ظَهْرِها الأَخْضَرِ. وَتَظَلُّ مُخْتَفِيَةً، إِلى أَنْ تَكونَ جاهِزَةً لِلِاسْتيقاظِ مَساءَ الْيَوْمِ التّالي.

هَلْ تَعْلَمُ؟

ضِفْدِعَةُ الأَشْجارِ ذاتُ الْعَيْنَيْنِ الْحَمْراوَيْنِ، تَعيشُ في مَناطِقِ الْمُسْتَنْقَعاتِ في غاباتِ أَمْريكا الْوُسْطى الْمَطيرَةِ. وَهِيَ تَسْتَيْقِظُ مَعَ مَغيبِ الشَّمْسِ مُباشَرَةً، وَتَجْلِسُ عَلى الأَغْصانِ، وَتَأْخُذُ بِمُناداةِ بَعْضِها بَعْضًا. أَمَّا صَوْتُ نِدائِها فَهُوَ: «غْلَكْ. غْلَكْ. غْلَكْ».

في بَعْضِ صُوَرِ هذا الْكِتابِ، نَرى ضِفْدِعَةَ الأَشْجارِ ذاتَ الْعَيْنَيْنِ الْحَمْراوَيْنِ كَبيرَةً جِدًّا، لكِنَّها في الْحَقيقَةِ صَغيرَةٌ جِدًّا، فَطولُ جِسْمِها حَوالى خَمْسُ سَنْتيمِتْراتٍ فَقَطْ. هاتانِ الصَّفْحَتانِ تَعْرِضانِ لَنا ضِفْدِعَةَ الأَشْجارِ ذاتِ الْعَيْنَيْنِ الْحَمْراوَيْنِ، بِحَجْمِها الْحَقيقِيِّ.

تَقْضي ضَفادِعُ الأَشْجارِ مُعْظَمَ حَياتِها عَلى الأَشْجارِ. حَتّى إِنَّها تَضَعُ بَيْضَها عَلى الأَشْجارِ. تَقومُ أُنْثى الضِّفْدِعِ بِلَصْقِ بَيْضِها عَلى جُزْءِ الْوَرَقَةِ السُّفْلِيِّ الَّذي يَتَدَلّى فَوْقَ الْماءِ. فَفي هذا الْمَكانِ، يَكونُ الْبَيْضُ آمِنًا مِنْ خَطَرِ الْحَيَواناتِ الأُخْرى. حينَ تَفْقِسُ الشَّراغيفُ، تَسْقُطُ في الْماءِ، حَيْثُ تَتَغَذّى وَتَنْمو، إِلى أَنْ تَتَحَوَّلَ ضَفادِعَ صَغيرَةً. بَعْدَ ذلِكَ، تَكونُ جاهِزَةً لِمُغادَرَةِ الْماءِ، وَتَسَلُّقِ النَّباتاتِ الْقَريبَةِ.

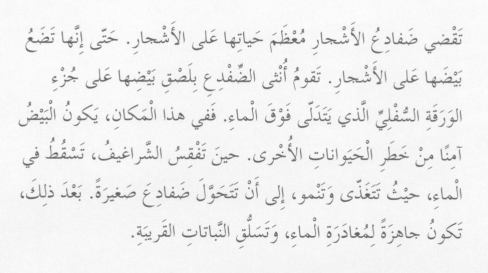

حينَ يَأْتي الصَّباحُ إلى غابَةِ الْمَطَرِ.

وَتَسْتَسْلِمُ لِلنَّوْمِ...

ضِفْدِعَةُ الْأَشْجارِ ذاتُ الْعَيْنَيْنِ الْحَمْراوَيْنِ تُغمِضُ عَيْنَيْها...

إِنَّها تَتَسَلَّقُ وَرَقَةً.

ضِفْدِعَةُ الأَشْجارِ

لَمْ تَعُدْ جائِعَةً.

تَقْضِمُ، وَتَقْضِمُ، وَتَقْضِمُ!

تَرى فَراشَةً!

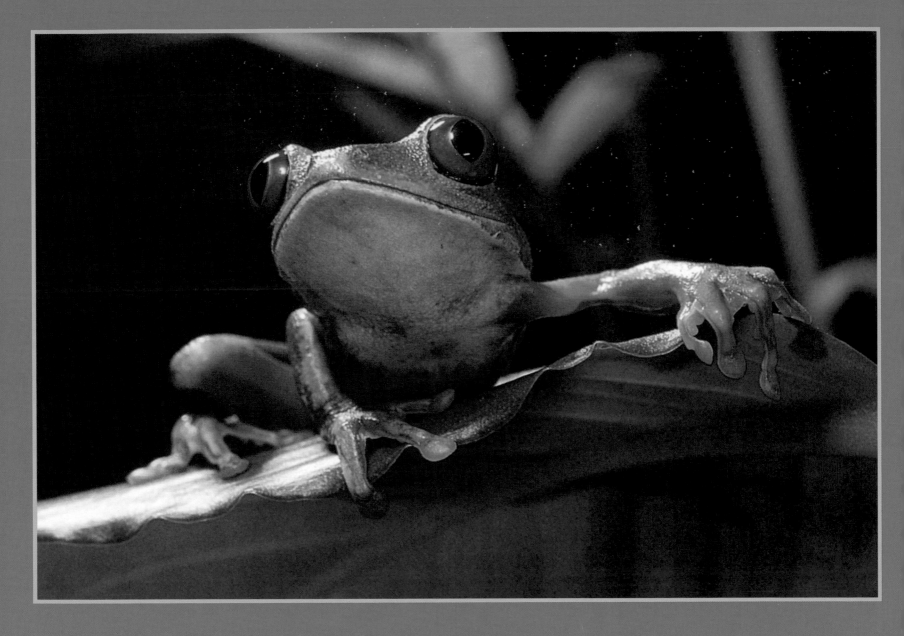

ماذا تَرى الضِّفْدِعَةُ
عَلى الوَرَقَةِ؟

وَتَهْبِطُ الضِّفْدِعَةُ عَلى وَرَقةٍ،

بَعِيدًا جِدًّا عَنِ الأَفْعى.

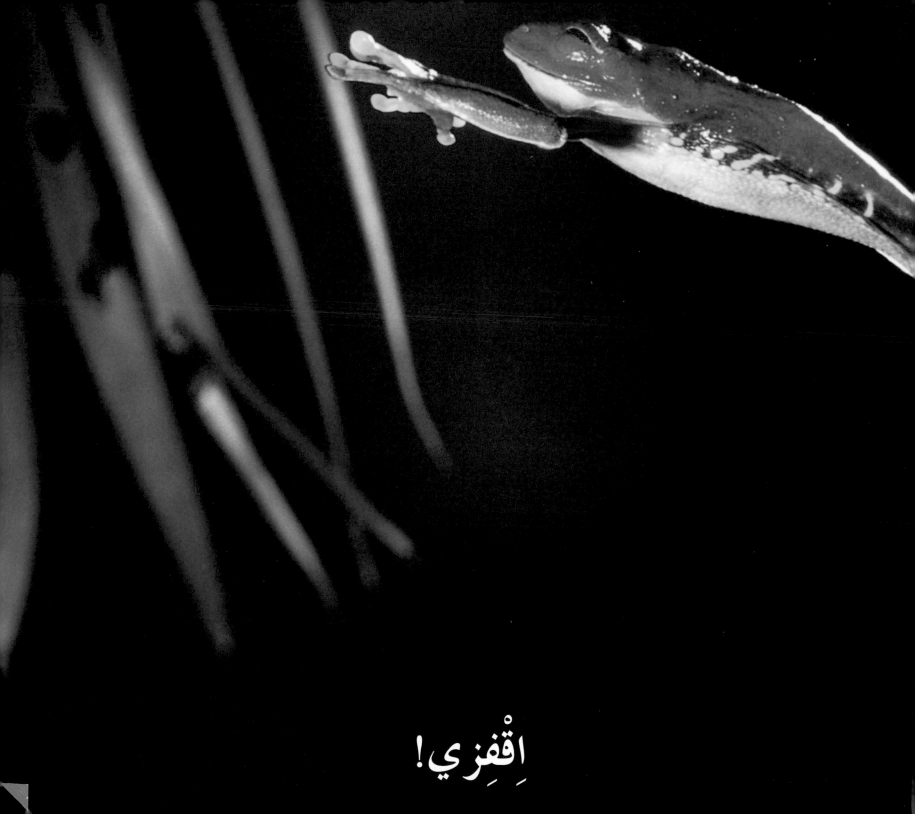

اِقْفِزِي!

الأَفْعى تُلَوِّحُ بِلِسانِها.
إِنَّها تَتَذَوَّقُ الضِّفْدِعَةَ في الْهَواءِ.
اِنْتَبِهي، يا ضِفْدِعَةُ!

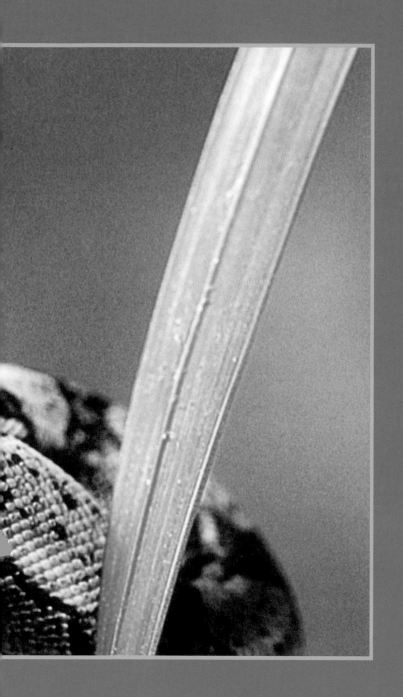

شَيْءٌ ما يَنْسَلُّ وَيَزْحَفُ
عَلى الْغُصْنِ.
إِنَّها أَفْعى البُواءِ الْجائِعَةُ.

شَيْءٌ ما يَتَحَرَّكُ
قُرْبَ الضِّفْدِعَةِ.

هَلْ تَأْكُلُ الْيَرَقانَةَ؟

لا!

الْيَرَقانَةُ سامَّةٌ.

وَلَنْ تَأْكُلَ الْجُنْدُبَ الْأَمِرِيكِيَّ.

الضِّفْدِعَةُ جائِعَةٌ،
لِكِنَّها لَنْ تَأْكُلَ النَّمْلَةَ.

فَتَقْفِزُ
إِلى غُصْنٍ آخَرَ.

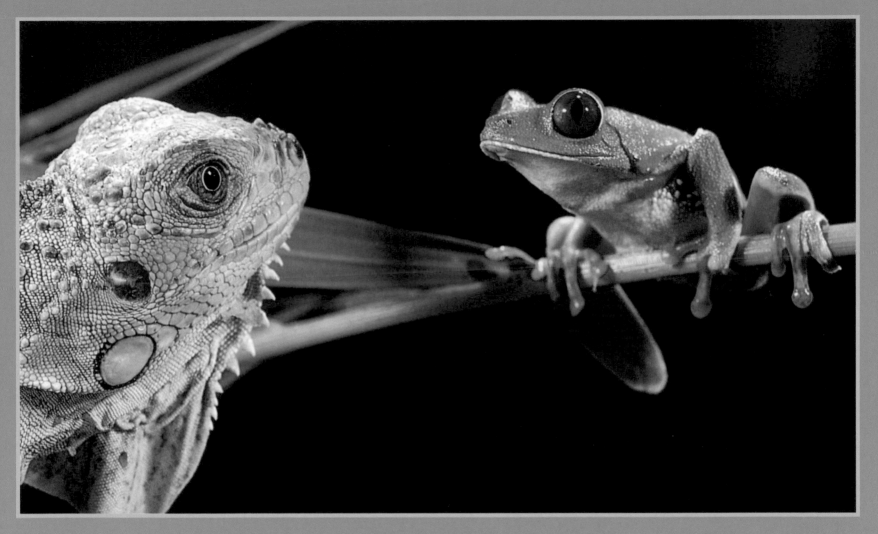

هَلْ تَأْكُلُ العَظايا الضَّفادِعَ؟
ضِفْدِعَةُ الأَشْجارِ ذاتُ الْعَيْنَيْنِ الْحَمْراوَيْنِ
لا تَنْتَظِرُ حَتَّى تَكْتَشِفَ الأَمْرَ.

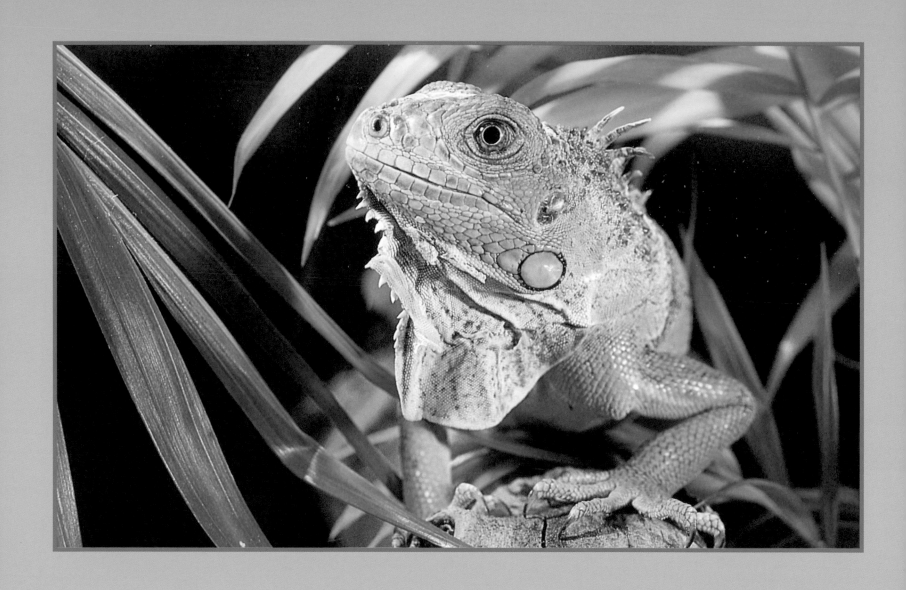

هذِهِ عَظاءَةٌ.
لكِنَّ الضَّفادِعَ لا تَأْكُلُ العَظايا.

إِنَّها تَسْتَيْقِظُ جائِعَةً.
ما عَساها تَأْكُلُ؟

لكِنَّ ضِفْدِعَةَ الأَشْجارِ ذاتَ الْعَيْنَيْنِ الْحَمْراوَيْنِ
كانَتْ قَدْ نامَتْ طَوالَ النَّهارِ.

الْبَبَّغاءُ الْأَمِريكِيُّ،

وَطائِرُ الطّوقانِ،
سَيَذْهَبانِ لِلنَّوْمِ قَريبًا.

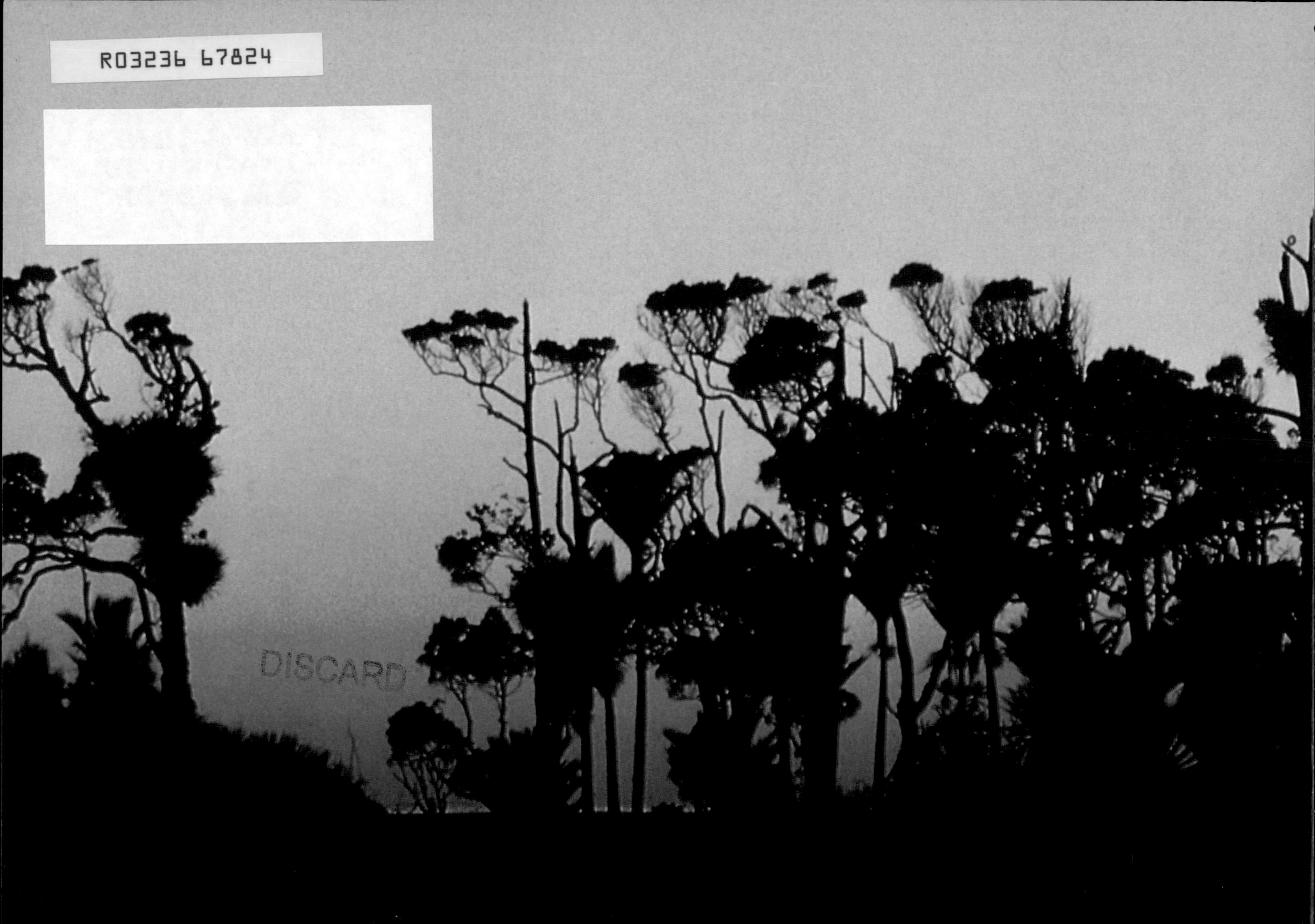

يَأْتِي الْمَساءُ إِلى غابَةِ الْمَطَرِ.

ضِفْدِعَةُ الأَشْجارِ ذاتُ الْعَيْنَيْنِ الْحَمْراوَيْنِ

تَأْليفُ: جوي كولي

رُسومُ: نيك بيشوب